KB184842

LEVEL2
1

333
영어

저자 서문

안녕하세요, 저자 조정현입니다.

영어를 처음 배우기 시작하는 것은 쉽지 않은 도전이지만, 새로운 언어를 익히며 세상을 넓혀가는 여정은 매우 의미 있는 일입니다. 이 책은 영어 회화를 처음 접하는 왕초보 학습자부터 초보자, 중급자 학습자 여러분들을 위해 만들어졌으며, 단계별로 영어 실력을 자연스럽게 향상시킬 수 있도록 구성하였습니다. 주위에 수많은 영어 교재들이 있지만, 첫 페이지부터 끝까지 완독하며 만족스럽게 학습을 하게 되는 경우는 드문 것이 사실입니다. 과연 이유가 무엇일까요?

학습자에게 지속적으로 흥미를 주고 계속 나아갈 수 있게 동기부여해 주는 데에 한계가 있기 때문일 것입니다. 이제 우리는 더 이상 지체하지 말고, 그동안 수없이 목표로 삼아왔던 영어라는 이 여정을 즐겨야 하기에, 조정현의 3-3-3 영어 시리즈를 십분 활용하면 되는 것입니다.

흥미를 이끌어내는 생활 속 표현들을 주제로, 매 단원마다 [삽화]-[상황듣기]-[문제해결]-[어휘표현]-[문장완성]-[꿀팁]-[발음 및 문법] 순으로 진행하게 됩니다.

무엇보다도 아날로그 감성의 손그림으로 호기심을 자극해 드립니다. - 저자의 부족한 그림 솜씨(?)에 대해 미리 양해를 부탁드립니다. - 하지만 따뜻한 감성으로 한 땀 한 땀 정성을 다해 그렸으니 삽화의 캐릭터들과 친해지시길 바라는 마음입니다.

Level 1 기초 다지기 영어의 필수 어휘를 익히고 기본적인 문장을 만들어내는 능력을 기르는 데 중점을 두고 있습니다. 이 단계에서는 복잡한 문장을 만들기보다는, 간단하고 명확한 문장 구조를 이해하는 것이 중요합니다. 기본 문장을 반복 연습하시기 바랍니다. 특히, 실생활에서 자주 쓰이는 가벼운 일상 대화 등을 중심으로 구성했으니 쉽고 재미있게 학습이 가능합니다.

Level 2 자신감 키우기 Level 1에 비해, 다양한 문장을 말할 수 있도록 돕는 데 중점을 두고 있습니다. 조금 더 긴 문장을 듣고, 만들어보고, 의문문이나 부정문 등 다양한 문장 구조를 연습하는 단계입니다. 이 과정에서 중요한 것은 문법적인 정확성도 물론 중요하지만, 우선 자신감을 가지고 말을 해보는 것입니다. 실수를 두려워하지 않고 꾸준히 연습하는 것이 가장 중요한 포인트입니다.

Level 3 실전 활용하기 학교, 직장, 가정 등의 일상생활에서의 영어 회화를 자연스럽게 구사할 수 있도록 도와줍니다. 다양한 상황별 회화 연습을 통해 실제 대화에서 유용한 표현들을 익히고, 영어로 생각하는 습관을 기르는 것이 목표입니다. 이 단계에서는 상황에 맞는 적절한 표현을 찾아가는 연습을 하는 것이 중요합니다. 실제로 원어민들이 자주 쓰는 표현들에 적응하고 자신감을 얻으실 수 있습니다.

이 책을 통해 여러분이 영어에 자신감을 가지게 되고, 더 나아가 자유롭게 영어로 소통하는 기쁨을 누리게 되기를 진심으로 바랍니다. 끊임없는 노력과 열정으로 여러분의 목표를 멋지게 이뤄 가시기를 응원합니다.

저자 조정현 드림

도서 구성

333 영어는 3개 레벨, 90일의 커리큘럼으로 구성되어 있습니다.
밝고 통통 튀는 조정현 선생님의 강의와 함께 학습을 진행하시면 됩니다.

Level 1

단어를 외우는 것만으로 자연스럽게 말하기는 어렵습니다. 외운 단어들이 어떤 상황에서 어떤 뉘앙스로 사용되는지를 정확히 알아야 비로소 말이 술술 나오게 됩니다. Level 1에서는 내가 아는 단어로 쉽게 말할 수 있는 문장들로 구성하여, 실생활에서 바로 사용할 수 있는 영어 회화 능력을 키울 수 있습니다.

Level 2

다 아는 단어인데 뜻이 전혀 다른 관용적 표현들이 있습니다. 이런 표현들만 잘 사용해도, 수준 높은 영어 회화가 가능합니다. Level 2는 다양한 관용적 표현을 활용해 쉽게 영어 수준을 높일 수 있는 문장들로 구성되어 있습니다.

Level 3

Level 3에서 소개하는 문장 30개만 잘 사용해도 영어 회화는 문제없습니다. 문장을 통째로 외우기는 쉽지 않지만, 외워야 할 때는 외워야 하죠. 효율적으로 외우면 부담도 훨씬 덜할 텐데요. Level 3는 사용 빈도가 높은 가성비 좋은 문장들을 선정하여, 영어 회화를 충분히 구사할 수 있도록 구성되어 있습니다.

목차

01 꿀불견이야(진상이야). 10p

02 난 출퇴근에 두 시간 걸려. 14p

03 너 너무 느끼하다. 18p

04 본론으로 돌아가자. 22p

05 아깝다. 26p

06 잊은 거 없이 다 챙겼어? 30p

07 낯가린다. 34p

08 나도 그 말 하려고 했는데. 38p

09 나도 그렇게 하려고 했어. 42p

10 이 접시 좀 치워 주시겠어요? 46p

학습 방법

하루 3번, 각각의 다른 3가지 단계로 학습할 수 있도록 구성되어 있습니다.

아침

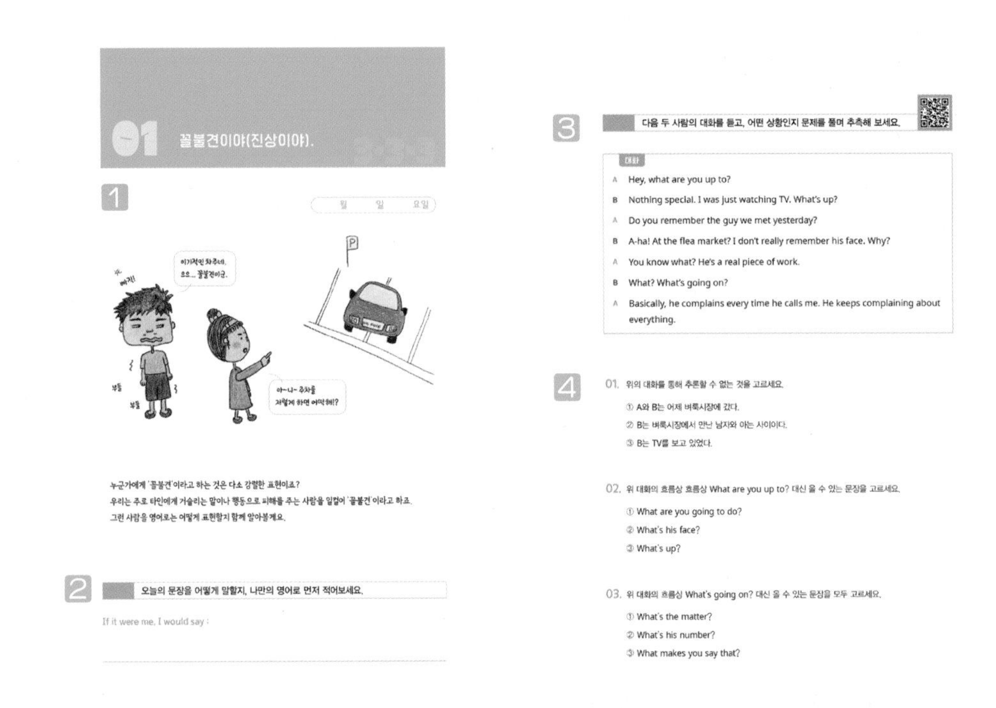

01 꿀불견이야(진상이야).

1

월 일 요일

누군가에게 '꼴불견'이라고 하는 것은 다소 강렬한 표현이죠?
우리는 주로 타인에게 거슬리는 말이나 행동으로 피해를 주는 사람을 일컬어 '꼴불견'이라고 하죠.
그런 사람을 영어로는 어떻게 표현할지 함께 알아볼게요.

2 오늘의 문장을 어떻게 말할지, 나만의 영어로 먼저 적어보세요.

If it were me, I would say :

3 다음 두 사람의 대화를 듣고, 어떤 상황인지 문제를 풀며 추측해 보세요.

대화

A Hey, what are you up to?
B Nothing special. I was just watching TV. What's up?
A Do you remember the guy we met yesterday?
B A-ha! At the flea market? I don't really remember his face. Why?
A You know what? He's a real piece of work.
B What? What's going on?
A Basically, he complains every time he calls me. He keeps complaining about everything.

4

01. 위의 대화를 통해 추론할 수 없는 것을 고르세요.

① A와 B는 어제 벼룩시장에 갔다.
② B는 벼룩시장에서 만난 남자와 아는 사이이다.
③ B는 TV를 보고 있었다.

02. 위 대화의 흐름상 흐름상 What are you up to? 대신 올 수 있는 문장을 고르세요.

① What are you going to do?
② What's his face?
③ What's up?

03. 위 대화의 흐름상 What's going on? 대신 올 수 있는 문장을 모두 고르세요.

① What's the matter?
② What's his number?
③ What makes you say that?

1 오늘의 상황을 그림으로 이해하고, 오늘의 표현을 우리말로 먼저 확인합니다.

2 나라면 이 상황에서 어떻게 영어로 말할 수 있을지, 내가 아는 영어로 나만의 문장을 적어 봅니다.

3 오늘의 대화를 통해 오늘 배울 표현이 어떻게 쓰였는지 대화 속 영어 문장을 통해 확인합니다.
QR코드를 통해 원어민의 음성을 듣고, 발음과 억양도 꼭 확인하세요.

4 대화 속 상황을 잘 이해하였는지, 문제를 풀어보면서 확인합니다.

점심

저녁

5 오늘의 필수 어휘 및 표현을 확인해 보세요.

turn off : ~을 끄다
waste : 낭비하다 / 폐기물
switch off : 스위치를 끄다
ensure : 확실히 하다, 보장하다
appliance : (가정용) 기기

6 필수 어휘와 표현을 이용하여, 우리말에 맞게 영어 문장을 완성해 보세요.

01. Did you the heater ?
난방기 껐어요?

02. Please make sure all the mobile phones are during the exam.
시험 중에 반드시 모든 휴대폰 전원을 꺼 주세요.

03. We need to buy some office .
우린 사무용 기기들을 좀 사야해요.

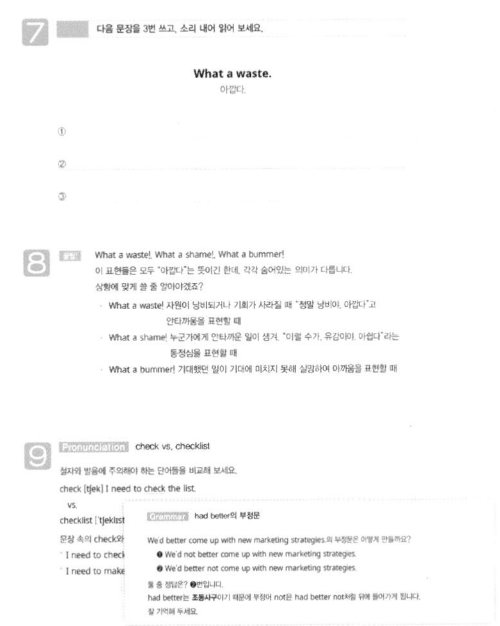
7 다음 문장을 3번 쓰고, 소리 내어 읽어 보세요.

What a waste.
아깝다.

①
②
③

8 꿀팁! What a waste!, What a shame!, What a bummer!
이 표현들은 모두 "아깝다"는 뜻이긴 한데, 각각 숨어있는 의미가 다릅니다.
상황에 맞게 쓸 줄 알아야겠죠?

- What a waste! 자원이 낭비되거나 기회가 사라질 때 "정말 낭비야, 아깝다"고 안타까움을 표현할 때
- What a shame! 누군가에게 안타까운 일이 생겨, "이럴 수가, 유감이야, 아쉽다"라는 동정심을 표현할 때
- What a bummer! 기대했던 일이 기대에 미치지 못해 실망하여 아까움을 표현할 때

9 Pronunciation check vs. checklist
철자와 발음에 주의해야 하는 단어들을 비교해 보세요.
check [tʃek] I need to check the list.
vs.
checklist [ˈtʃeklɪst
문장 속의 check와
I need to check
I need to make

Grammar had better의 부정문
We'd better come up with new marketing strategies.의 부정문은 어떻게 만들까요?
❶ We'd not better come up with new marketing strategies.
❷ We'd better not come up with new marketing strategies.
둘 중 정답은? ❷번입니다.
had better는 **조동사구**이기 때문에 부정어 not은 had better not처럼 뒤에 들어가게 됩니다.
잘 기억해 두세요.

5 대화에서 등장한 필수 어휘와 표현을 확인해 보세요. 문장에서 쓰인 표현을 우리말로 확인해봅니다.

6 필수 어휘와 표현을 잘 이해하였는지, 문제를 통해 정확한 사용법을 익힙니다. 수, 시제, 인칭 등의 변화에 주의하면서 문제를 풀어봅니다.

7 오늘의 문장은 꼭 소리내서 읽고, 3번 써보세요. 눈으로, 손으로, 입으로 익히는 시간이 됩니다.

8 알아두면 좋은 꿀팁을 정리하였습니다. 아~ 이런 표현도 있구나! 하고 확인해두면 좋을 것 같아요.

9 차시를 마무리하며, 영어 발음에 도움이 되는 Useful Expressions 혹은 문법을 간단하고 쉽게 이해할 수 있도록 Grammar 등 다양한 코너를 준비하였습니다. 유용한 정보를 확인하며 학습을 마무리해 보세요.

학습 캘린더

학습을 마친 후, 학습 결과에 맞게 색칠해 보세요. 복습이 필요한 곳은 잊지 말고 복습을 진행해 주세요.

10 Days Study Calender

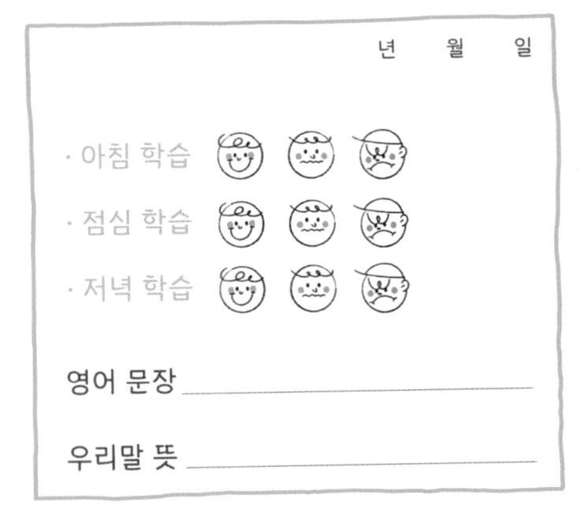
년 월 일

· 아침 학습

· 점심 학습

· 저녁 학습

영어 문장 ______________________

우리말 뜻 ______________________

년 월 일

· 아침 학습

· 점심 학습

· 저녁 학습

영어 문장 ______________________

우리말 뜻 ______________________

년 월 일

· 아침 학습

· 점심 학습

· 저녁 학습

영어 문장 ______________________

우리말 뜻 ______________________

년 월 일

· 아침 학습

· 점심 학습

· 저녁 학습

영어 문장 ______________________

우리말 뜻 ______________________

년 월 일

· 아침 학습

· 점심 학습

· 저녁 학습

영어 문장 ______________________

우리말 뜻 ______________________

년 월 일

· 아침 학습

· 점심 학습

· 저녁 학습

영어 문장 ______________________

우리말 뜻 ______________________

년 월 일

· 아침 학습

· 점심 학습

· 저녁 학습

영어 문장 ______________________

우리말 뜻 ______________________

년 월 일

· 아침 학습

· 점심 학습

· 저녁 학습

영어 문장 ______________________

우리말 뜻 ______________________

년 월 일

· 아침 학습

· 점심 학습

· 저녁 학습

영어 문장 ______________________

우리말 뜻 ______________________

년 월 일

· 아침 학습

· 점심 학습

· 저녁 학습

영어 문장 ______________________

우리말 뜻 ______________________

 웃는 얼굴 : 확실히 알아요.

 보통 얼굴 : 어느 정도 이해했어요.

 찡그린 얼굴 : 복습이 필요해요.

01 꼴불견이야(진상이야).

월 일 요일

누군가에게 '꼴불견'이라고 하는 것은 다소 강렬한 표현이죠?
우리는 주로 타인에게 거슬리는 말이나 행동으로 피해를 주는 사람을 일컬어 '꼴불견'이라고 하죠.
그런 사람을 영어로는 어떻게 표현할지 함께 알아볼게요.

오늘의 문장을 어떻게 말할지, 나만의 영어로 먼저 적어보세요.

If it were me, I would say :

다음 두 사람의 대화를 듣고, 어떤 상황인지 문제를 풀며 추측해 보세요.

대화

A Hey, what are you up to?

B Nothing special. I was just watching TV. What's up?

A Do you remember the guy we met yesterday?

B A-ha! At the flea market? I don't really remember his face. Why?

A You know what? He's a real piece of work.

B What? What's going on?

A Basically, he complains every time he calls me. He keeps complaining about everything.

01. 위의 대화를 통해 추론할 수 없는 것을 고르세요.

① A와 B는 어제 벼룩시장에 갔다.

② B는 벼룩시장에서 만난 남자와 아는 사이이다.

③ B는 TV를 보고 있었다.

02. 위 대화의 흐름상 흐름상 What are you up to? 대신 올 수 있는 문장을 고르세요.

① What are you going to do?

② What's his face?

③ What's up?

03. 위 대화의 흐름상 What's going on? 대신 올 수 있는 문장을 모두 고르세요.

① What's the matter?

② What's his number?

③ What makes you say that?

오늘의 필수 어휘 및 표현을 확인해 보세요.

- watch : 보다, 지켜보다, 주시하다
- flea market : 벼룩시장, 중고시장
- piece : 조각
- complain : 불평하다
- keep ~ing : 계속 ~하다

필수 어휘와 표현을 이용하여, 우리말에 맞게 영어 문장을 완성해 보세요.

01. I ____________ that movie yesterday.

나 어제 그 영화 봤어.

02. I bought it at a ____________ ____________.

난 그걸 벼룩시장에서 샀어.

03. He keeps ____________ about everything.

그는 모든 것에 대해 계속 불평해.

다음 문장을 3번 쓰고, 소리 내어 읽어 보세요.

He's a real piece of work.

꼴불견이야(진상이야).

①

②

③

꿀팁! 안타깝거나, 아쉬움이 남거나, 실망스러운 상황에서 쓰이는 또 다른 표현들도 알아볼게요.

- What a bummer.
- It's a real bummer.
- That's a bummer.

이 문장들 모두, "아쉽다, 안됐다, 실망이야"라는 의미로 쓸 수 있어요.

Grammatical Structure keep + 동사원형ing 계속 ~하다

He **keeps** complain**ing** about everything. 그는 모든 것에 대해 계속 불평해.

이처럼, [keep + 동사원형ing] 구조가 보이면, "계속 ~하다"고 해석합니다.

아래 예문들을 해석해 볼까요?

* She **keeps** bother**ing** me. 그녀는 계속 날 귀찮게 해요.
* They **kept** laugh**ing** at me. 그들은 계속 날 비웃었어요.
* Don't **keep** ly**ing** to me. 나에게 자꾸 거짓말하지 마.

참고 keep 목적어 from 동사원형ing : 목적어가 동사를 못하게 하다, 막다

(= stop, prevent, prohibit, ban)

My mom **kept me from** go**ing** out at night. 엄마는 내가 밤에 외출하는 것을 막으셨어요.

02 난 출퇴근에 두 시간 걸려.

월 일 요일

통학이나 출퇴근할 때 시간이 얼마나 걸리시나요?
저는 늘 오래 걸리곤 했습니다. 그래서 1시간 정도라면 매우 가깝게 느껴질 정도예요. :)
통학이나 출퇴근 시간은 특히 모든 교통이 몰리는 시간일 경우가 많죠?
그래서 "출퇴근에 두 시간 걸려" 또는 "통학에 두 시간 걸려" 라는 말을 영어로 해볼게요.

오늘의 문장을 어떻게 말할지, 나만의 영어로 먼저 적어보세요.

If it were me, I would say :

다음 두 사람의 대화를 듣고, 어떤 상황인지 문제를 풀며 추측해 보세요.

대화

A Congratulations! I heard you got a job.

B Thanks. I feel like I'm dreaming. Finally, I have my dream job.

A I'm glad to hear that.

B But I'm a bit worried about the commute.

A How far is it from your house?

B It takes two hours to commute.

A Wow, I think you should avoid the rush hour. Anyway, I wish you all the best.

01. 위의 대화를 통해 추론할 수 없는 것을 고르세요.

① A는 B의 소식을 이미 들었다.

② B의 집은 직장 근처이다.

③ B는 원하던 직업을 구했다.

02. B가 I'm a bit worried about the commute.라고 한 이유는 무엇일까요?

① 통근시간이 오래 걸려서

② 주변에 맛집이 없어서

③ 상사와의 마찰 때문에

03. I wish you all the best. 대신 올 수 없는 문장을 고르세요.

① I'll keep my fingers crossed.

② Good luck.

③ Do you best.

오늘의 필수 어휘 및 표현을 확인해 보세요.

- job : 일, 직장
- feel like : ~한 기분이 든다
- be worried about : ~에 대해 걱정하다
- commute : 통근하다 / 통근
- rush hour : 러시아워, 혼잡 시간대

필수 어휘와 표현을 이용하여, 우리말에 맞게 영어 문장을 완성해 보세요.

01. I have my dream ________.

꿈의 직업[직장]을 얻었어.

02. I ________ ________ I'm dreaming.

꿈꾸는 것 같은 기분이 들어.

03. It takes two hours to ________.

통근하는데 2시간이 걸려.

다음 문장을 3번 쓰고, 소리 내어 읽어 보세요.

It takes 2 hours to commute.

난 출퇴근[통학]에 두 시간 걸려.

①

②

③

꿀팁! It takes 2 hours to commute. 대신 같은 의미를 가진 다른 문장들도 알려 드릴게요.

- It takes 2 hours to get to work.
- I have a two-hour commute.
- I have a two-hour commute to work.

이렇게 다양한 방식으로 표현할 수 있어요.

Useful Phrases be worried about ~에 대해 걱정하다

I'm a bit worried about the commute. 통근길에 대해 좀 걱정돼.

이 문장 속, [be worried about]라는 구조를 기억해 두면 유용합니다.
"~에 대해 걱정된다 / 염려된다"는 뜻이죠. 아래 문장을 완성하며 익혀보세요.

I'**m worried about** ______. 난 내 미래가 걱정돼. (my future)

I'**m worried about** ______. 난 바이러스가 걱정돼. (the virus)

I'**m** not **worried about** ______. 난 내 점수에 대해 걱정 안 해. (my score)

이렇게 걱정되는 것을 be worried about 뒤에 넣어서 얘기하면 되는 겁니다.

03 너 너무 느끼하다.

3·3·3

월 일 요일

말투나 행동이 너~~~~~~무 느끼하게 느껴지는 사람이 주변에 있으세요?
매 번은 아니지만 가끔 느끼하게 느껴지는 말이나 행동이나 표정을 경험하게 될 때가 있죠.
그럴 때, 그 감정을 영어로 뭐라고 표현하면 좋을까요?

오늘의 문장을 어떻게 말할지, 나만의 영어로 먼저 적어보세요.

If it were me, I would say :

다음 두 사람의 대화를 듣고, 어떤 상황인지 문제를 풀며 추측해 보세요.

대화

A Hey, you're dressed to kill. Is something going on today?

B Yeah, I'm dressed up. As you know, I'm seeing someone.

A Absolutely! So, do you have a date with her?

B It's not a date, but we're just going to have dinner.

A That sounds nice. By the way, you look quite "shiny" today. I think you've put too much gel in your hair.

B Do I look like George Clooney?

A I'm just saying this because I'm your real friend. You're so greasy.

01. 위의 대화를 통해 추론할 수 없는 것을 고르세요.

① B의 머리카락은 번들거린다.

② B는 옷을 잘 입었다.

③ A는 좋아하는 사람이 있다.

02. A가 You look quite shiny today.라고 한 의도를 고르세요.

① Sarcastic comment

② Complimentary comment

③ Objective comment

03. I'm seeing someone. 대신 쓸 수 없는 문장을 고르세요.

① I have a crush on her.

② There is something going on between us.

③ I broke up with her.

오늘의 필수 어휘 및 표현을 확인해 보세요.

- dress : 드레스, 옷 / 옷을 입다
- have a date with : ~와 데이트를 하다
- look like : ~인 것처럼 보이다
- real : 진짜의
- greasy : 기름투성이의

필수 어휘와 표현을 이용하여, 우리말에 맞게 영어 문장을 완성해 보세요.

01. I'm ________ up.

옷에 신경 좀 썼어(한껏 차려입었어).

02. Do you ________ ________ ________ ________ her?

그녀와 데이트 있어?

03. Do I ________ ________ George Clooney?

조지 클루니 같아보여?

다음 문장을 3번 쓰고, 소리 내어 읽어 보세요.

You're so greasy.

너 너무 느끼하다.

①

②

③

꿀팁! greasy "느끼한"이라는 뜻을 가진 이 단어는 사람에게 뿐 아니라, 음식에도 쓸 수 있어요.

- That pizza is t oo **greasy**. 그 피자 너무 느끼하다.
- The fried chicken is too **greasy**. 그 프라이드 치킨은 너무 느끼하다.

이처럼, oily "기름진, 느끼한"과 같은 뜻으로 사람 및 음식의 맛을 묘사할 때도 쓰입니다.

Useful phrases look like **~처럼 보이다**

한껏 치장하고서 상대방에게 이런 질문할 때가 있죠?

"나 어때?, 나 어때 보여?" 이런 말을 자주 쓰게 되잖아요?

영어로도 말해 볼까요?

예 How do I **look**? 나 어때? 나 어때 보여?

Do I **look like** George Clooney? 나 조지 클루니 같아 보여?

04 본론으로 돌아가자.

월 일 요일

대화 중간에 가끔씩 삼천포로 빠지는 경우가 있죠?
회의를 하다가 여러가지 의견들이 나오다보면, 어느덧 그 회의의 주제에서 벗어나게 되는 경우도 있고요.
그럴 때, 아뿔사! "본론으로 돌아가자!"는 말을 하게 됩니다.
주위를 환기시키는 역할로도 아주 좋은 표현일텐데요,
영어로는 어떻게 표현할까요?

오늘의 문장을 어떻게 말할지, 나만의 영어로 먼저 적어보세요.

If it were me, I would say :

다음 세 사람의 대화를 듣고, 어떤 상황인지 문제를 풀며 추측해 보세요.

대화

A Why don't we take a look at the customers' opinions on our marketing?

B We'd better come up with new marketing strategies based on those opinions.

C Umm, I'm sorry to interrupt, but we already talked about the new strategies in the last meeting.

A You're right. Then, shall we complement the strategies by the next meeting? Is that OK?

C Sure, sounds good.

B Agreed.

A Then, let's get back to the point.
Our primary goal for today is to decide on an advertising company.

01. 위 대화가 이루어지는 장소로 가장 적절한 곳을 고르세요.

① At school ② At a cafe ③ At a meeting room

02. A가 말한 Then, shall we complement the strategies by the next meeting?를 대신할 수 있는 문장을 고르세요.

① What are you talking about?
② Let's talk about it later.
③ Let's wrap it up.

03. 위 대화에 따르면, 이번 회의 주제는 무엇인가요?

① Marketing
② Choosing an advertising agency
③ New strategies

오늘의 필수 어휘 및 표현을 확인해 보세요.

- take a look at : ~을 보다
- come up with : ~을 생각해 내다
- strategy : 전략
- interrupt : 방해하다, 중단시키다, 끊다
- complement : 보완하다, 덧붙이다

필수 어휘와 표현을 이용하여, 우리말에 맞게 영어 문장을 완성해 보세요.

01. Why don't we ________ ________ ________ ________ the opinions?

그 의견들을 좀 살펴보는 게 어떨까요?

02. How did you ________ ________ ________ the ideas?

그 아이디어들을 어떻게 생각해 내신 건가요?

03. I'm sorry to ________.

말 끊어서 죄송해요.

다음 문장을 3번 쓰고, 소리 내어 읽어 보세요.

Let's get back to the point.

본론으로 돌아가자.

①

②

③

꿀팁! We'd better come up with new marketing strategies.
우리가 새로운 마케팅 전략을 생각해 내는 게 좋겠네요.

이 문장 속 'd better은 had better의 축약형입니다.
해석은 주로 "~하는 게 좋겠다, ~하는 게 낫다"라고 하지만, 사용에 주의가 필요한 표현입니다. 화자보다 '높은' 사람에겐 쓰지 않는 표현이지요. 대화 상황은 회의 상황이었고, 직원들은 결국 동료이기 때문에 사용할 수 있었던 것이죠.

Grammar had better의 부정문

We'd better come up with new marketing strategies.의 부정문은 어떻게 만들까요?

❶ We'd not better come up with new marketing strategies.

❷ We'd better not come up with new marketing strategies.

둘 중 정답은? ❷번입니다.
had better는 **조동사구**이기 때문에 부정어 not은 had better not처럼 뒤에 들어가게 됩니다.
잘 기억해 두세요.

05 아깝다.

월 일 요일

음식에 욕심을 부리다가, 혹은 불필요한 물건을 과하게 구매하여 버리는 물건이 많이 생기는 등의 상황에선 어떤 말이 떠오르시나요?
"아깝다"는 말이 아닐까요?
영어로 이런 상황 속에서 할 수 있는 말은 무엇일지 알아볼까요?

오늘의 문장을 어떻게 말할지, 나만의 영어로 먼저 적어보세요.

If it were me, I would say :

다음 두 사람의 대화를 듣고, 어떤 상황인지 문제를 풀며 추측해 보세요.

대화

A I can't believe I forgot to turn off the fan in the living room. What a waste.

B Oh, I can't believe I've been leaving the lights on. What a waste.

A Maybe we should make a checklist before going out to ensure all of the appliances are switched off.

B That's a good idea.

A Prices have been going up sharply. So have electricity bills.

B You're right. Let's make the list right away.

01. 위 대화가 이루어지는 장소로 가장 적절한 곳을 고르세요.

① At home

② At work

③ At school

02. A와 B가 공통으로 What a waste.라고 말한 이유가 무엇인가요?

① They left the appliances on while they were out.

② They left so much food.

③ They were away from home for a few days.

03. What are they going to do right away?

① Make a reference

② Make a to-do list

③ Make a checklist

오늘의 필수 어휘 및 표현을 확인해 보세요.

- turn off : ~을 끄다
- waste : 낭비하다 / 폐기물
- switch off : 스위치를 끄다
- ensure : 확실히 하다, 보장하다
- appliance : (가정용) 기기

필수 어휘와 표현을 이용하여, 우리말에 맞게 영어 문장을 완성해 보세요.

01. Did you ________ ________ the heater ?

난방기 껐어요?

02. Please make sure all the mobile phones are ________ ________ during the exam.

시험 중에 반드시 모든 휴대폰 전원을 꺼 주세요.

03. We need to buy some office ________ .

우린 사무용 기기들을 좀 사야해요.

다음 문장을 3번 쓰고, 소리 내어 읽어 보세요.

What a waste.

아깝다.

①

②

③

꿀팁! What a waste!, What a shame!, What a bummer!

이 표현들은 모두 "아깝다"는 뜻이긴 한데, 각각 숨어있는 의미가 다릅니다.

상황에 맞게 쓸 줄 알아야겠죠?

- What a waste! 자원이 낭비되거나 기회가 사라질 때 "정말 낭비야, 아깝다"고 안타까움을 표현할 때
- What a shame! 누군가에게 안타까운 일이 생겨, "이럴 수가, 유감이야, 아쉽다"라는 동정심을 표현할 때
- What a bummer! 기대했던 일이 기대에 미치지 못해 실망하여 아까움을 표현할 때

Pronunciation check vs. checklist

철자와 발음에 주의해야 하는 단어들을 비교해 보세요.

check [tʃek] I need to check the list.

vs.

checklist [ˈtʃeklɪst] I need to make a checklist.

문장 속의 check와 checklist의 강세에 미묘한 차이를 느낄 수 있어요. 느낌을 잘 살려 연습해 보세요.

* I need to check the list. ▶ 목적어인 list가 더 강조되는 느낌

* I need to make a checklist. ▶ check 부분이 더 강조되는 느낌

06 잊은 거 없이 다 챙겼어?

3·3·3

월 일 요일

외출하는 가족 구성원에게, 장소를 이동하려는 친구에게,
혹시 두고 가는 물건은 없는지, 잊은 것은 없는지 꼼꼼히 챙겨주고 싶을 때가 있죠?
영어로도 이런 말은 필수적인데요,
과연 영어로는 어떻게 말하면 좋을까요?

오늘의 문장을 어떻게 말할지, 나만의 영어로 먼저 적어보세요.

If it were me, I would say :

다음 두 사람의 대화를 듣고, 어떤 상황인지 문제를 풀며 추측해 보세요.

대화

A It's going to be a perfect day!

B Yeah, we've been waiting for this moment.

A Absolutely. Let me check before going out. Do you have everything?

B Yes, I've got our snacks, camera, and wallet. Are you all set?

A I think so. Oh, just a sec. Let me grab my sunglasses.

B OK. Now we are ready to go. Let's have a great holiday.

01. A와 B는 무엇에 대한 대화를 나누고 있나요?

① About their vacation

② About their work

③ About their kids

02. A와 B의 감정 상태를 묘사한 문장을 고르세요.

① They're stressed out.

② They're very excited.

③ They're full of anxiety.

03. A가 말한 Do you have everything?과 동일한 표현을 찾아보세요.

① We are ready to go.

② Are you all set?

③ I've got our snacks.

오늘의 필수 어휘 및 표현을 확인해 보세요.

- wait for : ~을 기다리다
- moment : 순간
- snacks : 간식(들)
- wallet : 지갑
- grab : 잡다

필수 어휘와 표현을 이용하여, 우리말에 맞게 영어 문장을 완성해 보세요.

01. We've been ______ ______ this moment.

우린 이 순간을 기다려 왔죠.

02. I've got our ______.

간식거리(들) 챙겼어요.

03. Let me ______ my sunglasses.

내 선글라스 좀 챙길게요.

다음 문장을 3번 쓰고, 소리 내어 읽어 보세요.

Do you have everything? / (Are you) all set?

잊은 거 없이 다 챙겼어?

①

②

③

꿀팁! We've been waiting for this moment. 우린 이 순간을 기다려 왔죠.

이 문장을 대체할 수 있는 또 다른 문장을 알려 드릴게요.

- We've been **looking forward to** this moment.

이처럼, wait for와 look forward to는 충분히 바꿔서 활용할 수 있어요.

단, look forward to의 to는 전치사이니, 뒤에 동사원형이 아닌 **명사구**가 오는 것이죠.

Comparison of words wallet vs. purse

wallet vs. purse의 정확한 의미와 용법을 이해해 볼까요?

* wallet 일반적인 '지갑'이나 '서류가방'

예 This **wallet** is made of leather. 이 지갑은 가죽으로 만들어졌어요.

* purse 여성용 작은 사이즈의 지갑

예 She had her **purse** stolen on the trip. 그녀는 여행 중에 지갑을 도난당했다.

07 낯가린다.

3·3·3

월 일 요일

낯을 가리는 성격일 경우, 어떻게 묘사하면 좋을까요?
어쩌면, 머리 속에 shy라는 단어가 가장 먼저 떠오를 수 있겠는데요, 좋습니다!
하지만, 또 다른 표현도 알아보면 좋겠죠? "낯가린다"는 표현을 알려 드릴게요.

오늘의 문장을 어떻게 말할지, 나만의 영어로 먼저 적어보세요.

If it were me, I would say :

다음 두 사람의 대화를 듣고, 어떤 상황인지 문제를 풀며 추측해 보세요.

대화

A Hey, are you okay? Why are you sitting alone here?

B I'm totally fine. As you can see, I'm not very sociable. I'm bashful.

A You're not the only one. I mean it's nice to know I'm not alone in feeling that. I'm shy.

B Really? Maybe we can take a look around this party.

A Sure thing!

B Perfect. I'm glad to get to know you better.

01. A와 B는 어디에 있나요?

① 회사

② 파티

③ 각자의 집

02. B가 낯가린다고 생각하게 한 가장 적절한 이유는 무엇인가요?

① Because B sent A the telepathy.

② Because B didn't talk to anyone.

③ Because B was sitting alone at the party.

03. A와 B는 이제 무엇을 할 예정인가요?

① to go around the place together

② to call each other

③ to exchange numbers

오늘의 필수 어휘 및 표현을 확인해 보세요.

- sociable : 사교적인, 사람들과 어울리기 좋아하는
- bashful : 수줍음을 타는, 부끄럼을 타는
- shy : 수줍음을 타는, 부끄러워하는
- look around : 둘러보다, 구경하다
- get to know : 알게 되다

필수 어휘와 표현을 이용하여, 우리말에 맞게 영어 문장을 완성해 보세요.

01. I'm not very ________.

난 그리 사교적이지 않아요.

02. I'm ________.

전 낯가려요.

03. Let's ________ ________ this place.

이 장소를 같이 둘러봐요.

다음 문장을 3번 쓰고, 소리 내어 읽어 보세요.

I'm shy. / I'm bashful.

낯가린다.

①

②

③

꿀팁! 낯가리는 성격을 또 다른 말로 introverted "내향적인"이라는 단어로도 표현할 수 있죠. "나는 내향적이야."라는 말을 더 알아볼까요?

- I'm pretty **introverted**.
- I'm an **introvert**.

Abbreviation MBTI

수줍어하는 성격에 대해 나온 김에, 꾸준히 유행하는 MBTI가 무엇의 줄임말인지 알아볼게요.

MBTI stands for Myers–Briggs Type Indication(마이어스–브릭스 유형 지표).

E – Extraversion 외향성

I – Introversion 내향성

S – Sensing 감각

N – Intuition 직관

T – Thinking 사고

F – Feeling 감정

J – Judging 판단

P – Perceiving 인식

08 나도 그 말 하려고 했는데.

월 일 요일

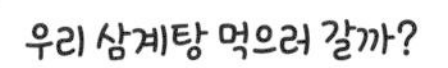

가끔 내가 하고 싶은 말을 상대방이 하는 경우가 있죠? 마치 이심전심의 상황처럼요.
우리가 이미 배운 Tell me about it.도 저절로 생각나는 상황입니다.
하지만, 이번엔 "나도 그 말 하려고 했는데, 나도 같은 말을 하려던 참이었어"라는 표현을
알아볼게요.

오늘의 문장을 어떻게 말할지, 나만의 영어로 먼저 적어보세요.

If it were me, I would say :

다음 두 사람의 대화를 듣고, 어떤 상황인지 문제를 풀며 추측해 보세요.

대화

A You know what?
Every time we go out to eat, I'm so amazed at how alike our tastes are.

B Tell me about it. I was about to say the same thing.

A Right? Even our favorite restaurants are identical.

B And we can't resist a good spicy dish.

A I was about to say the same thing!

B We've got a lot in common.

01. A와 B는 지금 어떤 공통점에 대해 대화하고 있나요?

① 음식

② 패션

③ 인테리어

02. We can't resist a good spicy dish.를 가장 적절히 해석한 문장을 찾아보세요.

① 우린 매운 음식을 못 먹지.

② 우린 매콤한 음식을 좋아하지.

③ 우린 고급 음식을 좋아하지.

03. "우린 공통점이 많다."는 뜻을 가진 문장을 찾아보세요.

① We went out to eat.

② We've got a lot in common.

③ Our favorite restaurants are identical.

오늘의 필수 어휘 및 표현을 확인해 보세요.

- amazed : 놀란
- taste : 맛 / 맛보다
- identical : 동일한
- resist : 저항하다, 참다
- common : 흔한, 공통의

필수 어휘와 표현을 이용하여, 우리말에 맞게 영어 문장을 완성해 보세요.

01. I'm so ___________ at how alike our tastes are.

난 우리 입맛이 얼마나 비슷한 지 매우 놀라워.

02. Our favorite restaurants are ___________.

우리가 가장 좋아하는 음식점들도 똑같지.

03. We've got a lot in ___________.

우린 공통점이 많아.

다음 문장을 3번 쓰고, 소리 내어 읽어 보세요.

I was about to say the same thing.

나도 그 말 하려고 했는데.

①

②

③

꿀팁! "나도 그 말 하려고 했는데."의 비격식적 표현으로는 어린이들의 감탄사 "찌찌뽕~"도 가능하겠죠? 영어로도 이에 해당하는 표현이 있습니다. 재밌게 연습해 보세요 .

- Jinx!
- Jinx again!

Grammar be about to 막 ~하려고 하다

I was about to say the same thing. 나도 그 말 하려고 했는데.

이번 핵심 문장이죠. 이 중, 밑줄 친 부분에 대해 설명해 드릴게요.

[be about to + 동사원형] 구조는 "막 ~하려고 하다, 막 ~하려는 참이다"라는 의미를 지닙니다.

그래서 자주 쓰이는 예문들로 기억해두면 도움이 되겠죠?

* I **was about to** leave. 막 나가려던 참이었어.
* I **was about to** take a shower. 막 샤워하려던 참이었어.
* I **was** just **about to** have lunch. 막 점심 식사하려던 참이었어요.

09 나도 그렇게 하려고 했어.

월 일 요일

갑자기 먹고 싶은 음식이 생각나서 상대방에게 말을 했는데,
때마침 상대방도 딱 사오려고 했다는 말이 오고 갈 때가 종종 있지 않나요?
반대로, 내가 하려고 했던 일이 있는데, 상대방이 그 일을 때마침 부탁할 때가 있죠.
그럴 땐, "나도 그렇게 하려고 했다."는 말이 어울리는 상황이죠.
영어로는 어떻게 말할 수 있을까요?

오늘의 문장을 어떻게 말할지, 나만의 영어로 먼저 적어보세요.

If it were me, I would say :

다음 두 사람의 대화를 듣고, 어떤 상황인지 문제를 풀며 추측해 보세요.

대화

A Hey, do you mind grabbing some coffee on your way back?

B That's what I was going to do. Anything else you need?

A Then, could you buy me some donuts if they're on sale?

B Sure. No problem.

A Oh, it looks like it's raining outside. Make sure to bring your umbrella.

B All right. I'll be back in a bit.

01. A는 B에게 무엇을 부탁했나요?

① 커피와 샌드위치

② 커피와 도너츠

③ 커피와 베이글

02. No problem.을 가장 적절히 해석한 문장을 찾아보세요.

① 문제없어.

② 중요한 거래가 아니야.

③ 중대 사건이야.

03. Make sure to bring your umbrella.라고 말한 이유는 무엇인가요?

① 호신용으로 대비하라고

② 밖에 비가 오는 것 같아서

③ 할인을 해주므로

오늘의 필수 어휘 및 표현을 확인해 보세요.

- grab : 붙잡다
- on one's way back : 돌아오는 길에
- on sale : 할인 중인, 판매되는
- problem : 문제
- a bit : 조금, 약간

필수 어휘와 표현을 이용하여, 우리말에 맞게 영어 문장을 완성해 보세요.

01. Do you mind ____________ some coffee on your way back?

돌아오는 길에 커피 좀 사오면 안될까요?

02. Could you buy me some donuts if they're ____________ ____________?

세일하면 도너츠 좀 사 줄 수 있어요?

03. I'll be back in ____________ ____________.

잠시 후에 돌아올게.

다음 문장을 3번 쓰고, 소리 내어 읽어 보세요.

That's what I was going to do.

나도 그렇게 하려고 했어.

①

②

③

꿀팁! That's what I was going to do.
이 문장을 직역하면, "그건 내가 하려고 했던 것이다."인데,
중간에 부사를 넣어주면 "그건 딱!!!! 내가 하려던 건데."라는 의미를 좀 더 강조할 수 있어요.
That's **exactly** what I was going to do.

Grammar Do you mind ~ing? ~해주시겠어요?

Do you **mind** grabb**ing** some coffee? 커피 좀 사 줄래요?

여기서 mind는 "생각"이 아닌, "꺼리다"의 뜻입니다.
그런데 이렇게 동사 뒤에 grabbing처럼 [mind + 동사원형ing] 구조로 상대방에게 예의 있게
부탁하는 문장을 만들 수 있어요.
또는 [Do you mind if S + V?] 처럼 if 절이 쓰이는 문장으로도 만들 수 있습니다.
Do you **mind grabbing** some coffee?
= Do you **mind if you buy me** some coffee?

10 이 접시 좀 치워 주시겠어요?

월 일 요일

음식점에서 식사를 하다가 다 먹은 음식의 접시를 치워달라고 부탁을 하게 되는 경우가 있습니다.
뷔페를 이용할 때도 미처 확인하지 못하고 있는 직원분들에게 종종 치워달라는 부탁을 하게 되죠.
"이 접시 좀 치워 주세요."라는 말을 영어로 어떻게 표현하는지 알아볼게요.

오늘의 문장을 어떻게 말할지, 나만의 영어로 먼저 적어보세요.

If it were me, I would say :

다음 세 사람의 대화를 듣고, 어떤 상황인지 문제를 풀며 추측해 보세요.

대화

A Wow, it looks delicious. Let's dig in.

[After finishing their meals...]

B How was everything?

C It was fantastic and the service has been excellent, thank you.

A Ah, we'd like to order some dessert. Could you take this plate?

B Absolutely! And I'll bring you the dessert menu in a minute.

01. B의 직업은 무엇인가요?

① Actor

② Customer

③ Waiter

02. Let's dig in.을 가장 적절히 해석한 문장을 찾아보세요.

① 땅을 파보자.

② 모두들 먹자.

③ 꿍꿍이를 캐자.

03. It was fantastic and the service has been excellent.라고 말한 것으로 유추할 수 있는 것은?

① 음식도 맛있었고 서비스도 좋았다.

② 음식은 맛있었는데 서비스는 별로였다.

③ 음식은 별로였지만 서비스는 좋았다.

오늘의 필수 어휘 및 표현을 확인해 보세요.

- dig in : 먹다
- have been excellent : 훌륭했다
- dessert : 디저트, 후식
- take (away) : 치우다
- menu : 차림표, 메뉴(판)

필수 어휘와 표현을 이용하여, 우리말에 맞게 영어 문장을 완성해 보세요.

01. Let's ____________ in.

자, 먹자.

02. The service ____________ been ____________.

서비스가 훌륭했어요.

03. Could you bring me the ____________?

메뉴판 좀 주시겠어요?

다음 문장을 3번 쓰고, 소리 내어 읽어 보세요.

Could you take this plate?

이 접시 좀 치워 주시겠어요?

①

②

③

꿀팁! Could you take this plate?의 의미를 이해하셨죠?

이 중 take가 "테이크아웃"하는 상황에서도 활용될 수 있는데요,

영어로는 takeout, takeaway, carry-out이렇게 다양하게 표현할 수 있어요.

Useful Expression plate 접시?

이번 핵심 문장 Could you take this plate?의 plate는 말 그대로 "접시"를 뜻합니다.

plate를 활용한 재밌는 비유적 표현도 소개할게요.

* My **plate** is full.

I have a lot on my **plate**.

두 문장 모두 "나 바빠, 할 일이 많아."라는 뜻입니다.

Ⓐ I'm reading a book on anti-gravity.
Ⓑ It's impossible to put down.

Ⓐ 반중력에 대한 책을 읽는 중이야.
Ⓑ 내려놓기 힘들겠구나.

정답 / 해설

01 꼴불견이야(진상이야).

대화

A: 뭐 하고 있어?

B: 별거 없어. 그냥 TV 보고 있었어. 무슨 일이야?

A: 어제 만난 남자 기억나?

B: 아, 벼룩시장에서? 얼굴은 잘 기억 안 나. 왜?

A: 그거 알아? 그 사람 완전 짜증나.

B: 뭐? 무슨 일이야?

A: 기본적으로, 그 사람 전화할 때마다 불평해. 계속 모든 것에 대해 불평해.

01 대화에서 At the flea market이라고 했으므로 벼룩시장이라는 장소가 언급되었으며, I was just watching TV.를 통해 TV를 보고 있었음을 알 수 있다. 하지만, I don't really remember his face.라고 했으니 알던 사이는 아니다.

02 뭐 하고 있었냐는 질문이므로 What's up?이 자연스럽다.

03 "무슨 일이야?"라는 말이므로 What's the matter? What makes you say that?
무엇이 그렇게 말하게 하냐?는 말은 무슨 일이냐는 의미이기도 하다.

정답 p11 01 ② 02 ③ 03 ①, ③
p12 01 watched 02 flea market 03 complaining

02 난 출퇴근에 두 시간 걸려.

대화

A: 축하해! 취직했다면서.

B: 고마워. 꿈꾸는 것 같아. 드디어 꿈의 직업을 가졌어.

A: 정말 기쁘다.

B: 그런데 통근이 좀 걱정돼.

A: 집에서 얼마나 멀어?

B: 통근하는 데 두 시간 걸려.

A: 와, 혼잡한 시간을 피해야 할 것 같아. 어쨌든, 행운을 빌어.

01 I'm a bit worried about the commute.라고 했으므로 통근에 대한 걱정이 있다.
It takes two hours to commute. 통근에 2시간 걸린다는 말이니 집 근처가 아니다.

02 commute 통근하다, 통근 / be worried about ~에 대해 걱정하다

03 I wish you all the best. 응원을 하는 말이다. ③ Do your best. 최선을 다하라는 조언이다.

정답 p15 01 ② 02 ① 03 ③
p16 01 job 02 feel like 03 commute

03 너 너무 느끼하다.

대화

A: 야, 오늘 멋지게 차려입었네. 무슨 일 있어?

B: 응, 좀 차려입었어. 알다시피, 누군가와 썸을 좀 타고 있거든.

A: 맞아! 그래서 그녀와 데이트하는 거야?

B: 데이트는 아니고, 그냥 저녁 먹으려고.

A: 좋겠다. 그런데, 오늘 좀 '반짝반짝'하네. 머리에 젤을 너무 많이 발랐어.

B: 내가 조지 클루니 같아?

A: 진짜 친구라서 하는 말이야. 너무 기름져 보여.

01 B가 I'm seeing someone.이라고 했으므로 좋아하는 사람이 있는 건 B이다.

02 뒤에오는 문장이 I think you've put too much gel in your hair. 머리에 젤을 너무 많이 바른 것 같다는 말이므로 반어적인 말투이다. ① 냉소적인 코멘트 ② 칭찬의 코멘트 ③ 객관적인 코멘트

03 I'm seeing someone은 "누군가와 썸타다" 혹은 "누군가에게 반하다"는 의미이다. 비슷하게 둘 사이에 뭔가 있다는 의미를 담은 문장은 ①, ②이다.
③ 그녀와 헤어졌어.

정답 p19 01 ③ 02 ① 03 ③
p20 01 dressed 02 have a date with 03 look ike

04 본론으로 돌아가자.

대화

A: 우리 마케팅에 대한 고객 의견을 한번 살펴보는 게 어때요?

B: 그 의견을 바탕으로 새로운 마케팅 전략을 세우는 게 좋겠네요.

C: 음, 방해해서 미안하지만, 지난 회의에서 이미 새로운 전략에 대해 얘기했어요.

A: 맞아요. 그럼 다음 회의때까지 전략을 보완할까요? 괜찮으신가요?

C: 물론이요, 좋아요.

B: 동의해요.

A: 그럼, 본론으로 돌아가죠. 오늘의 주요 목표는 광고 회사를 결정하는 거죠.

01 Customers' opinions on our marketing, New marketing strategies, next meeting 등으로 보아 사무실이나 회의실일 가능성이 크다.

02 다음 회의 때까지 보완하는 게 어떠냐는 의미이니 Let's talk about it later.로 대체할 수 있다.

03 마지막 문장, Our primary goal for today is to decide on an advertising company.이므로 광고회사를 선택하는 게 회의주제이다.

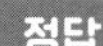
정답 p23 01 ③ 02 ② 03 ②
p24 01 take a look at 02 come up with 03 interrupt

05 아깝다.

대화

A: 거실 선풍기 끄는 걸 잊어버리다니 믿을 수가 없어. 이런 아까울 데가.

B: 아, 나도 불을 켜놓고 다니다니 믿을 수가 없어. 큰 낭비구만.

A: 외출하기 전에 모든 가전제품이 꺼져 있는지 체크리스트를 만드는 게 좋겠어.

B: 좋은 생각이야.

A: 물가가 급격히 오르고 있어. 전기 요금도 마찬가지야.

B: 맞아. 바로 리스트 만들자.

01 거실에 선풍기를 켜놓고, 전등을 켜놓고 나온 것을 보고 둘 다 What a waste.라고 외치고 있으니 집에 돌아왔을 때 나눈 대화로 추정할 수 있다.

02 What a waste.는 아깝다는 뜻으로, 가전기기들을 켜두고 나온 걸 알고 낭비된 부분에 대해 아까운 마음을 표현하고 있다.

03 마지막 문장에 Let's make the list right away.라고 했으니, 체크할 목록을 작성할 것이다.

정답 p27 01 ① 02 ① 03 ③

p28 01 turn off 02 switched off 03 appliances

06 잊은 거 없이 다 챙겼어?

대화

A: 오늘 완벽한 날이 될 거야!

B: 그래, 이 순간을 기다렸어.

A: 맞아. 나가기 전에 한번 확인해보자. 다 챙겼어?

B: 응, 간식, 카메라, 지갑 다 챙겼어. 너는 준비됐어?

A: 그럴 것 같아. 아, 잠깐만. 선글라스 좀 챙길게.

B: 좋아. 이제 준비됐어. 멋진 휴일 보내자.

01 Let's have a great holiday.라고 했으므로 휴가를 떠날 준비 중에 나누는 대화이다.

02 perfect, waiting for, great 등등 긍정적인 분위기를 나타내는 표현들을 힌트 삼아 ②이 답이다.

03 필요한 거 다 챙겼냐는 뜻이다. Are you all set?과 바꾸어 쓸 수 있다.

정답 p31 01 ① 02 ② 03 ②

p32 01 waiting for 02 snacks 03 grab

07 낯가린다.

대화

A: 괜찮아? 왜 혼자 여기 앉아 있어?

B: 난 괜찮아. 보다시피, 난 사교적이지 않아. 수줍음을 타거든.

A: 너만 그런 거 아니야. 나도 마찬가지야. 나도 부끄러워.

B: 정말? 그럼 우리 이 파티를 둘러볼까?

A: 물론!

B: 완벽해. 너를 더 잘 알게 돼서 기뻐.

01 Maybe we can take a look around this party. 파티(장소)를 둘러보자는 말이 힌트가 되어 ② 파티가 정답이다.

02 Why are you sitting alone here?이라는 문장에서부터 짐작할 수 있다.

03 함께 둘러보자는 제안에 Sure thing!이라고 대답했으므로, go around the place together과 같다.

정답 p35 01 ② 02 ③ 03 ①

p36 01 sociable 02 bashful 또는 shy 03 look around

08 나도 그 말 하려고 했는데.

대화

A: 있잖아? 우리가 같이 외식할 때마다 우리 입맛이 얼마나 비슷한지 정말 놀라워.

B: 그러게 말이야. 나도 똑같은 말 하려 했어.

A: 그렇지? 심지어 좋아하는 식당도 똑같아.

B: 그리고 우리는 매운 음식을 참을 수 없어(너무 좋아하지).

A: 나도 똑같은 말 하려 했어!

B: 우리 정말 공통점이 많아.

01 eat, favorite restaurants, spicy dish 등 음식 관련 표현들을 힌트 삼으면 된다.

02 매운 음식을 거부할 수 없다는 의미는 너무 좋아한다는 뜻이다.
resist 저항하다, 거부하다 / spicy dish 매운 요리

03 have/get a lot in common 공통점이 많다

정답 p39 01 ① 02 ② 03 ②

p40 01 amazed 02 identical 03 common

09 나도 그렇게 하려고 했어.

대화

A: 커피 좀 사다 줄 수 있어?

B: 그러려고 했지. 다른 거 필요한 거 있어?

A: 그럼, 도넛 세일하면 좀 사다 줄래?

B: 물론, 별거 아니야.

A: 밖에 비 오는 것 같아. 우산 챙겨.

B: 알았어. 금방 다녀올게.

01 some coffee, donuts를 부탁했다.

02 요청에 흔쾌히 수락하는 말로 "문제 없어."라고 해석된다.

03 우산을 챙기라고 말한 이유는 It looks like it's raining outside. 바깥에 비가 오는 것 같아 보였기 때문이다.

정답 p43 01 ② 02 ① 03 ②

p44 01 grabbing 02 on sale 03 a bit

10 이 접시 좀 치워 주시겠어요?

대화

A: 와, 맛있어 보인다. 먹자.

[식사 후…]

B: 식사 어떠셨나요?

C: 정말 환상적이었고 서비스도 훌륭했어요, 감사합니다.

A: 아, 디저트 주문하려고요. 이 접시 치워 주시겠어요?

B: 물론이죠! 디저트 메뉴 금방 가져다 드릴게요.

01 How was everything? 음식이 어땠는지 질문했고, 마지막 문장에서 I'll bring you the dessert menu ~라고 했으니 웨이터이다.

02 Let's dig in. 음식을 파내자 는 말은 곧, 본격적으로 먹어보자는 말이다.

03 fantastic, excellent를 이용하여 묘사하고 있으므로, 서비스와 음식이 모두 훌륭하다는 말이다.

정답 p47 01 ③ 02 ② 03 ①

p48 01 dig 02 has | excellent 03 menu

MEMO

MEMO

MEMO

333 영어 LEVEL2_1

초판 1쇄 인쇄 2024년 11월 25일
초판 1쇄 발행 2024년 12월 9일

지은이	조정현
발행인	임충배
홍보/마케팅	양경자
편집	김인숙, 왕혜영
디자인	이경자, 김혜원
펴낸곳	도서출판 삼육오(PUB.365)
제작	(주)피앤엠123

출판신고 2014년 4월 3일
등록번호 제406-2014-000035호

경기도 파주시 산남로 183-25
TEL 031-946-3196 / FAX 050-4244-9979
홈페이지 www.pub365.co.kr

ISBN 979-11-92431-81-9(14740)